El
PODER
SANADOR
del corazón

Robert Abel

Valentine Publishing House
Denver, Colorado

Valentine Publishing House LLC
P.O. Box 27422
Denver, Colorado 80227

Las citas bíblicas mencionadas en este texto han sido tomadas de *La Biblia Latinoamericana*, 150 edición. © 2005, Madrid: Editorial San Pablo y Editorial Verbo Divino. Reproducidas con los debidos permisos. Reservados todos los derechos.

Diseño de portada: *Desert Isle Design LLC*

Título original en inglés: *Healing Power for the Heart*

Información editorial para catalogar:
Abel, Robert.
    El poder sanador del corazón / Robert Abel.

    p.:ill.; cm.

    ISBN–10: 0-9796331-5-X
    ISBN–13: 978-0-9796331-5-7
    Incluye referencias bibliográficas

1. Sanación espiritual. 2. Sanación – aspectos religiosos – cristianismo. 3. Emociones —aspectos religiosos—cristianismo. 4. Amor— aspectos religiosos—cristianismo. I. Título.

    BT732.5 .A245 2012
    234/.131

Impreso en los Estados Unidos de América.

Índice

Que él se digne, según la riqueza de su gloria,
fortalecer en ustedes, por su Espíritu, al
hombre interior. Que Cristo habite en
sus corazones por la fe, que estén
arraigados y edificados en el amor.

Efesios 3,16–17

Introducción

Descansando bajo la sombra de una palmera, junto al antiguo pozo de piedra, Jesús se fijó en una mujer que se acercaba a lo lejos. Llevaba en una mano un cántaro de barro y en la otra una cuerda. Cuando la mujer se acercó, Jesús le dijo: "Por favor, dame algo de beber".

La voz que surgió de debajo del árbol asustó a la mujer. Una vez que vio quién era el que le hablaba, la mujer respondió de manera defensiva diciendo: *"¿Cómo tú, que eres judío, me pides de beber a mí, que soy una mujer samaritana?"*[1]

Jesús se puso de pie, extendió su mano y dijo: *"Si conocieras el don de Dios, si supieras quién es el que te pide de beber, tú misma le pedirías agua viva y él te la daría".*[2]

A media que el poder del Espíritu Santo comenzaba a actuar en la mujer, su corazón se ablandó. *Ella le dijo: "Señor, no tienes con qué sacar agua y el pozo es profundo. ¿Dónde vas a conseguir esa agua viva?".*[3]

Jesús le dijo: "El que beba de esta agua volverá a tener sed, pero el que beba del agua que yo le daré nunca volverá a tener sed. El agua que yo le daré se convertirá en él en un chorro que salta hasta la vida eterna".[4]

Cuando las palabras del Señor le llegaron al corazón, la mujer recordó las historias acerca de un profeta de hace mucho tiempo que mencionó cómo iba a surgir agua viva del templo. Al principio el agua fluía como un arroyo pequeño, para luego convertirse en un poderoso río. Allí donde corría esa agua viva, brotaba de la tierra seca y desértica vida nueva.

Al fijarse en los ojos del Señor la mujer pudo sentir su tierna compasión. El simple hecho de estar en presencia del Señor la hizo sentirse lo suficientemente segura como para decirle: *"Señor, dame de esa agua, y así ya no sufriré la sed ni tendré que volver aquí a sacar agua".[5]*

Jesús le dijo: "Vete, llama a tu marido y vuelve acá".[6]

La mujer bajó inmediatamente la mirada y dijo: *"No tengo marido".[7]*

Jesús le dijo: "Has dicho bien que no tienes marido, pues has tenido cinco maridos, y el que tienes ahora no es tu marido. En eso has dicho la verdad".[8]

Una vez que la verdad quedó revelada, la mujer pudo adentrase en la luz de la presencia del Señor. Se sintió avergonzada por haber intentado esconder su pasado. Estaba cansada de vivir en la oscuridad. Había pasado toda su vida buscado el amor en los lugares equivocados. Muchos hombres de su pasado la habían herido, otros se habían aprovechado de ella y otros habían incluso criticado todo lo que había hecho.

Lo único que Jesús quería hacer era llenar su cántaro vacío con su amor divino. Quería sanar todas sus heridas, pero antes de poder hacerlo ella tenía que aceptar los acontecimientos dolorosos de su pasado y reconocer la verdad diciendo: *"En eso has dicho la verdad".[9]*

Una vez que abrió su corazón y aceptó el dolor de su pasado, el agua de vida del Señor brotó en su alma seca y vacía. Estaba tan contenta que *dejó allí el cántaro y corrió al pueblo a decir a la gente: "Vengan a ver a un hombre que me ha dicho todo lo que he hecho".*[10]

Jesús quiere, igualmente, que un río poderoso de agua viva brote en todos los templos vivos de todos sus hijos e hijas amados. Jesús quiere establecer una relación divina contigo. El Señor vino para que todos *tengan vida y la tengan en plenitud.*[11]

El Señor te está llamando ahora mismo. *"El que tenga sed, que venga a mí. Pues el que cree en mí tendrá de beber. Lo dice la Escritura: De su seno brotarán ríos de agua viva".*[12]

¿A qué esperas? Jesús tiene unos planes increíbles para tu vida. Quiere establecer contigo una relación de amor apasionado. Quiere darte vida en plenitud. Quiere sanar todas tus experiencias traumáticas pasadas para que puedas experimentar la plenitud de su extravagante amor.

1

Extiende una invitación a Jesús

Hace muchos años el Señor me mostró una visión en mi corazón. Yo estaba sentado en el suelo rezando, cuando el poder del Espíritu Santo vino sobre mí. Podía sentir la grandeza y majestuosidad sobrenatural de Dios a mí alrededor.

Cuando el Señor me mostró mi corazón, este era pequeño, frío e insignificante. Parecía como si estuviera hecho de metal y tuviera una puerta muy pequeña que se abría y cerraba. En ese momento de la verdad me di cuenta de que nunca había invitado a la presencia divina de Dios a que habitara en mi corazón.

La grandeza de Dios era luminosa y brillante, como un inmenso océano de puro amor, verdad y calidez. Era algo demasiado para mí. Tras un breve momento, la visión se hizo demasiado intensa y tuve que alejarme de ella. Unos momentos más tarde, me encontré de nuevo en mi dormitorio, sentado en el suelo.

Me tomé con mucha seriedad el llamado de Dios. Volví a rezar y recreé la visión basándome en mi memoria. Me imaginé el corazón metálico y cómo la puertecita se abría cuando rezaba las siguientes palabras:

Jesús, te invito a que entres en mi corazón. Por favor, ven y habita en mí.

No pasó nada. Intenté abrir aun más la puerta y rezar con más fuerza, pero nada cambió. No me sentía diferente. Sabía que la visión provenía de Dios y que era verdadera. Pero yo estaba protegiendo mi corazón porque tenía miedo. La verdad es que, en lo más profundo de mí, era reacio a dar a Dios la parte más sagrada de mi ser.

Quién sabe lo que Dios me haría si yo le daba todo mi ser. Me podría dar el encargo misionero más difícil y, si Dios tomaba el control total de mi vida, entonces me podría causar toda clase de tormentos hasta que yo realizara completamente la tarea que me hubiera encargado.

Tras reflexionar acerca de la visión, me di cuenta de que tenía miedo a entregarle mi corazón a Dios porque en el pasado me habían herido muchas veces. Cada vez que le había entregado mi corazón a una mujer bella, las cosas normalmente habían terminado de forma desastrosa. Me había enamorado varias veces y, una vez que había abierto mi corazón a esas mujeres, ellas habían tenido la capacidad de causarme mucho dolor.

Enamorarse es la experiencia más rica y apasionante que jamás haya vivido. Pero desafortunadamente el cortar las relaciones puede ser algo devastador. Mis novias no solo tenían la capacidad de herirme una vez que me había enamorado de ellas, sino que también podían aprovecharse de mi vulnerabilidad.

Tras reflexionar más acerca de esto, me di cuenta de que yo estaba proyectando en Dios las dinámicas de mis relaciones humanas. Tenía miedo a invitar a Jesús al lugar más sagrado de mi ser porque, cada vez que había invitado a una mujer a mi corazón, siempre había terminado siendo herido.

Después de pensar en cómo la inmensa belleza y magnificencia de la grandeza de Dios se comparaba con mi vacío interior, me vi forzado a tomar una decisión. Podía vivir mi vida con un corazón frío o podía invitar a la riqueza, belleza y esplendor del Señor a que habitara en mí.

Al final me decidí por Cristo. Me centré, recé profundamente y recordé la visión del corazón pequeño. Pronuncié las siguientes palabras desde lo más profundo de mi ser: *Querido Jesús, confieso que tú eres mi Señor y mi Salvador. Por favor, haz todo lo que quieras con mi vida. Te entrego todo en tus manos. Ven a mi corazón y crea en mí la persona que quieres que yo sea.*

Cuando terminé de rezar no me sentí nada diferente. El amplio océano del gran amor de Dios no me llenó hasta rebosar, y pronto comencé a preocuparme. Llamé a una amiga espiritual para que rezara conmigo. Me invitó a que fuera a su casa y allí compartí con ella la visión que había tenido. Decidimos que iríamos a las montañas a rezar más.

Manejamos unos 30 minutos y, tras aparcar el carro, caminamos por un camino de piedras hacia la cima de una montaña. El sol estaba a punto de ponerse y miles de tonalidades amarillas y anaranjadas iluminaban el cielo.

Cuando llegamos a la cima nos sentamos en unas rocas y observamos las luces brillantes de la ciudad a nuestros pies. Desde la profundidad de mi ser, y sin decir palabra, invité a Jesús a que viniera a mí. De la misma manera que un hombre de enamora de una mujer, así le abrí mi corazón a Jesús y me enamoré de él. Le entregué lo más profundo de mi ser.

Me hice totalmente vulnerable ante él al entregarle todo lo que soy.

Inmediatamente después sentí cómo su fortaleza eufórica me invadía. Fue exactamente como lo que Jesús había prometido cuando dijo: *"Si alguien me ama, guardará mis palabras, y mi Padre lo amará. Entonces vendremos a él para poner nuestra morada en él".*[1]

La presencia divina de Cristo había llenado finalmente mi corazón. Al día siguiente me encontrada en un estado de euforia espiritual. Podía sentir de verdad la presencia de Jesús en mi interior. Cada vez que comenzaba a rezar brotaba en mi interior un manantial grande de agua viva.

Antes de mi encuentro con Jesús, tenía que dedicar varias horas a rezar para poder alcanzar ese nivel profundo que ahora vivía tras sólo unos pocos minutos de oración. Antes de mi experiencia en la cima de la montaña, sentía como si Dios estuviera en algún lugar entre las nubes, distante y alejado. Cuando rezaba sentía como si mis oraciones a Dios llegaran hasta mi cabeza y se detuvieran allí.

Ahora cuando rezo, Jesús está aquí mismo, en mi interior. Su presencia habita en el interior de mi alma. Ya no tengo que lanzar oraciones a las nubes como si fueran flechas. Puedo estar en íntima comunión con el Señor cuando quiera. Tengo la declaración del Hijo de Dios vivo en mi interior, tal y como lo describen las Sagradas Escrituras: *"Quien cree en el Hijo de Dios guarda en sí el testimonio de Dios. El que tiene al Hijo, tiene la vida; el que no tiene al Hijo de Dios, no tiene la vida".[2]*

Después de mi experiencia en la cima de la montaña, incluso las palabras *Jesús, te amo* adquirieron un significado nuevo. Antes no significaban mucho porque nunca me había encontrado con Jesús. Había leído acerca de Jesús en la Biblia y escuchado a mucha gente hablar de él en la iglesia. Sabía quién era, pero nunca había tenido un verdadero encuentro vivo con el Señor resucitado hasta que lo invité a que entrase en mi corazón. Tras encontrarme con Jesús, podía sentir mi amor por el Señor brotando en mi interior cada vez que le decía: *Jesús, te amo.*

Después de mi experiencia de conversión, mis proyectos de servicio a los demás resultaron mucho más exitosos. Llevaba los últimos diez años participando en la misa diaria y servía al Señor dedicándome completamente al ministerio pastoral, pero nunca me había sentido cómo hablando con otras personas acerca de Jesús.

Una parte de mí no quería imponer mis creencias en los demás pero, una vez que el Dios del universo comenzó a brotar en mi interior, adquirí inmediatamente un deseo ardiente de compartir la riqueza de Jesús con todas las personas a quienes conocía. Si mis amigos no tenían al Espíritu de Cristo habitando en el interior de sus corazones, entonces carecían de la mayor bendición de todas.

¿Has invitado a la presencia divina de Jesús a que habite en tu corazón? ¿Has abierto alguna vez tu alma al Señor para entregársela completamente? ¿Te has enamorado alguna vez profundamente de Jesús e invitado a su Espíritu a que habite en tu interior?

Quizás quieras dedicar ahora algo de tiempo a rezar.

Encuentra un lugar tranquilo en tu casa, iglesia o incluso en la cima de una montaña. Profundiza en tu corazón y extiende una invitación al Espíritu del Señor a que se adentre en tu alma. Enamórate de Jesús de la misma manera cómo te enamorarías de tu pareja romántica.

El Dios del universo desea profundamente establecer contigo una apasionada relación de amor. Sumérgete en las profundidades del inmenso océano de su amor divino y permite que comience el romance sagrado.

2

Reconoce la dolorosa verdad

El tenue brillo de la luna llena iluminaba lo suficiente como para que el Señor y sus discípulos pudieran subir el Monte de los Olivos. Al llegar al huerto, Jesús se dirigió a sus compañeros y les dijo: *"Todos ustedes caerán esta noche: ya no sabrán qué pensar de mí. Pues dice la Escritura: 'Heriré al Pastor y se dispersarán las ovejas'".*[1]

Pedro se adelantó y dijo: *"Aunque todos tropiecen, yo nunca dudaré de ti".*[2]

Jesús le replicó: "Yo te aseguro que esta misma noche, antes de que cante el gallo, me habrás negado tres veces".[3]

"Aunque tenga que morir contigo, jamás te negaré", dijo Pedro.[4]

Al poco tiempo de decir esto, apareció una multitud furiosa con espadas y palos. Los soldados que la acompañaba agarraron a Jesús y lo obligaron a echarse al suelo. El temor se apoderó de los discípulos y, tras un breve forcejeo, todos ellos se escaparon en la oscuridad.

Los soldados colocaron unas pesadas cadenas con grilletes alrededor de las manos y pies del Señor.

Comenzaron a gritar a Jesús ordenándole que caminara, y lo empujaban para que anduviesen más rápido. Al final llegaron hasta la casa del sumo sacerdote y entraron en el patio.

Algunos de los hombres de la multitud empezaron a colocar leña en una hoguera circular. Una vez prendieron el fuego, Pedro se acercó cuidadosamente y se unió a los hombres que estaba reunidos en torno a la hoguera para ver qué era lo que iba a suceder a continuación.

Mientras Pedro se calentaba las manos junto al resplandor del fuego, una criada lo reconoció y dijo: *"Este también estaba con él".*[5] Todos se dieron la vuelta para mirar a Pedro. Varios soldados desenvainaron sus espadas. Pedro dio un paso adelante y dijo suavemente: *"Mujer, yo no lo conozco".*[6]

Pedro logró convencer a los soldados pero, un poco más tarde, alguien más le dijo: *"Tú también eres uno de ellos".* Pero Pedro respondió: *"No, hombre, no lo soy".*[7]

Mientras tanto, los sumos sacerdotes continuaron interrogando a Jesús. Una gran multitud se había congregado allí y muchas personas comenzaron a acusar a Jesús de haber blasfemado. Otros estaban furiosos porque Jesús había dicho ser el Hijo de Dios. Después de escuchar todas las acusaciones, un hombre se dirigió a Pedro y dijo: *"Seguramente éste estaba con él, pues además es galileo".*[8]

"Amigo, no sé de qué hablas", dijo Pedro.[9]

En ese momento canto un gallo y el Señor se volvió para mirarlo. Pedro, avergonzado, tuvo que darse la vuelta cuando se acordó de las palabras del Señor: *"Antes de que cante hoy el gallo, me habrás negado tres veces".*[10]

Pedro amaba a Jesús, y aun así estaba muerto de miedo de la multitud violenta. El miedo le había invadido el corazón y ahora su relación con el Señor estaba dañada. Cuando Jesús más lo necesitaba, Pedro negó su propia existencia.

Después de esto, Pedro *saliendo afuera, lloró amargamente.*[11] Se postró en un campo, preguntándose cómo iba a poder a volver a mirar a Jesús a los ojos. La angustia interior que estaba viviendo era inaguantable. Lo único que Pedro podía hacer era sufrir. Tras pasar varias horas en agonía, al final Pedro se distanció de sus emociones para poder escapar los tormentos de su corazón.

A lo largo de los días siguientes Pedro comenzó a ser una persona más fría e incluso se distanció más. Quería alejarse de los recuerdos porque se enfermaba cada vez que alguien le mencionaba cómo los soldados habían colocado una corona de espinas en la cabeza del Señor. Las historias de la crucifixión le traían aun más dolor, lo cual estaba intentando desesperadamente evitar.

Llegó hasta tal punto que, al poco tempo, Pedro quiso volver a su forma de vida anterior. Lo dijo a los hijos del Zebedeo: *"Voy a pescar".*[12]

"Vamos también nosotros contigo", le dijeron.[13]

Después de preparar sus aparejos de pesca, salieron al mar. Trabajaron duro toda la noche pero no pescaron nada. Justo antes del amanecer Jesús se apareció en la costa y les dijo: *"Echen la red a la derecha y encontrarán pesca".*[14]

Los hombres no sabían qué pensar, pero echaron la red al mar una vez más. Cuando comenzaron a sacarla tirando de las cuatro esquinas, el agua empezó como a hervir con vida. Habían pescado tantos pescados que resultaba imposible levantar la red hasta el barco.

El discípulo al que Jesús amaba dijo a Simón Pedro: "Es el Señor".[15]

Inmediatamente, Pedro recordó vivamente todo lo que había acontecido recientemente. Lo único que haría que Pedro se sintiera mejor sería reconciliarse con el Señor. Pedro quería pedirle perdón y enmendar la relación, pero se sentía muy indigno. Lo único que Pedro podía hacer era ponerse algo de ropa y lanzarse al agua.

Los otros discípulos llegaron a la costa arrastrando tras ello la red llena de pescados. Cuando vieron la hoguera, se acercaron con mucha cautela. Jesús les dijo: *"Traigan algunos de los pescados que acaban de sacar".*[16]

Cuando terminaron de comer, Jesús dijo a Simón Pedro: "Simón, hijo de Juan, ¿me amas más que éstos?".[17]

"Sí, Señor, tú sabes que te quiero", le respondió.[18]

Le preguntó por segunda vez: "Simón, hijo de Juan, ¿me amas?".[19]

"Sí, Señor, tú sabes que te quiero".[20]

El Señor preguntó una tercera vez: *"Simón Pedro, hijo de Juan, ¿me quieres?".*[21]

Pedro se puso triste al ver que Jesús le preguntaba por tercera vez si lo quería y le contestó: "Señor, tú lo sabes todo, tú sabes que te quiero".[22]

Entonces Jesús le dijo: "Apacienta mis ovejas".[23]

Antes de que se pudiera reconciliar con el Señor, Pedro tuvo que reflexionar sobre su pasado y todos los acontecimientos negativos que lo estaban separando del amor del Señor. Pedro tuvo que afrontar sus sentimientos de culpabilidad y permitir que el Señor lo limpiase.

Una vez que Pedro reconoció sus errores, la luz y el amor de Cristo entraron en su corazón y fue liberado. Jesús lo acogió de regreso en el seno de una relación íntima y lo colocó de nuevo en la posición que ostentaba en el ministerio como líder de la iglesia recientemente establecida.

De igual manera, si tú deseas una relación más profunda y apasionada con Jesús, dedica ahora mismo algo de tiempo a la oración. Pide al Señor que te muestre si existen acontecimientos dolorosos de tu pasado que están impidiendo que la plenitud de su amor resida en lo más profundo de tu alma.

Una vez hayas examinado tu corazón, pide al Espíritu Santo que comience el proceso de la reconciliación. No hay nada que temer. Jesús te ama. Jesús tiene unos planes increíbles para tu vida. Acepta ahora mismo su amor misericordioso y permite que su tierna compasión te limpie.

3

Lávate con su agua vivificante

Un día recibí una carta de una señora joven llamada Susan. Su madre había fallecido a causa del cáncer cuando era una niña y, para hacer las cosas aún peor, durante toda su infancia su padre la había abusado y descuidado.

Al leer su carta, su situación hizo que me llenara de compasión para con ella. Cuando leí la siguiente petición de ayuda que escribió Susan, yo pude sentir el amor del Señor brotando en mi corazón y dirigiéndose hacia esta valiosa hija suya:

Soy una comedora impulsiva y estoy empezando a venirme abajo. Cuando le pido ayuda a Jesús siento como un bloqueo mental. Solía ser una persona muy religiosa e iba a la iglesia con asiduidad.

Nunca me sentí como si valiera algo y todavía siento como si fuera a acabar yendo al infierno. Me siento tan atada. ¿Cómo puedo hacer para que Jesús regrese de nuevo a mi vida? ¿Por qué querría Jesús hacerlo? Me siento tan indigna y tan falta de amor. Vivo con mi novio y me siento terriblemente mal y avergonzada.

Después de leer la carta de Susan, comencé a rezar pidiendo el consejo del Señor. Sabía que Jesús deseaba ardientemente liberar a su hija amada. Quería sanarle todas sus heridas y establecer su reino en lo más profundo de su corazón.

Jesús tenía todo el poder sanador y la gracia que Susan necesitaba para liberarse de las ataduras que la retenían. La única pregunta era: ¿qué era lo que hacía que Susan no aceptara el amor del Señor? Cuando le pregunté esto a Susan, ella me respondió diciendo:

He visto a muchas personas de mi iglesia hablar de su relación con el Señor a la vez que siguen teniendo relaciones prematrimoniales. No sé como lo hacen porque, si fuera yo, me sentiría muy culpable y avergonzada. Me siento como un trapo sucio que hay que tirar a la basura.

Lo que tengo claro ahora es que tener sexo es lo que me ha alejado de Dios. A causa de mi relación abusiva con mi propio padre, he estado buscando el amor en los brazos de otros hombres. Me he contentado con malas personas y he tenido relaciones que no eran sanas.

Hubo algunas relaciones de una sola noche, y estas me hirieron de verdad. Hicieron que me sintiera usada y abandonada.

Me imagino que lo que me está manteniendo alejada de Dios es que tengo miedo, y que me siento culpable y avergonzada. Siento que he decepcionado a Dios y a su Palabra. Pero sobre todo siento que me he decepcionado a mí misma. Una vez que puse en entredicho mi integridad, me sentí avergonzada y me alejé de Dios.

Después de leer la carta de Susan, pude sentir el deseo del Señor de lavar a su hija amada. Era el mismo tipo de amor que el Señor había usado para lavar a sus discípulos. Jesús tiene tanto amor que, la noche en la que iba a ser traicionado, se levantó, se quitó la túnica y se amarró una toalla alrededor de la cintura. Entonces, *echó agua en un recipiente y se puso a lavar los pies de los discípulos, y luego se los secaba con la toalla que se había atado.*[1]

Cuando llegó a Simón Pedro, éste le dijo: "¿Tú, Señor, me vas a lavar los pies a mí?".[2]

Jesús le contestó: "Tú no puedes comprender ahora lo que estoy haciendo. Lo comprenderás más tarde".[3]

Pedro replicó: "Jamás me lavarás los pies".[4]

Jesús le respondió: "Si no te lavo, no podrás tener parte conmigo".[5]

El Señor amaba tanto que asumió la función del criado más humilde y lavó los pies de los discípulos después de que estos habían estado todo el día caminando por las calles sucias de Jerusalén. De la misma manera que el Señor lavó a los discípulos, así deseaba también lavar a Susan. Tras dedicar algo más de tiempo a la oración, respondí a la petición de ayuda de Susan enviándole el siguiente ejercicio:

Por favor, dedica algo de tiempo a rezar e imagínate a ti misma, junto a Pedro, en la escena del Evangelio. Intenta imaginarte cómo era la habitación de arriba. Mira a Pedro a los ojos e intenta identificarte con la clase de orgullo que le estaba impidiendo que permitiese que el Señor lo lavara.

Después de identificarte con Pedro. Mira al Señor a los ojos. Escúchale mientras te dice estas mismas palabras: "Si no te lavo, no podrás tener parte conmigo".

Una vez que hayas terminado de meditar sobre el mensaje del Evangelio, me gustaría pedirte que permitas que Jesús te lave. Ve a tu bañera e invita a Jesús a que te lave los pies. Sé que Jesús no se te va a aparecer en persona para lavarte los pies, así que serás tú quien te tendrás que lavar; pero creo que Jesús estará allí en espíritu.

Quiero que te entregues de corazón a este ejercicio. Quiero que te laves los pies suavemente y que permitas que Jesús, mientras haces esto, cuide de tu espíritu.

Unos días más tarde, Susan respondió al ejercicio diciendo:

Al principio de quería realizar este ejercicio pero, después de leer el pasaje bíblico, me di cuenta de que mis objeciones provenían de un orgullo acompañado de un gran asombro.

Jesús es perfecto y yo no lo soy. Me siento muy indigna de tener a un Salvador perfecto lavándome mis pies sucios.

Tengo que reconocer que me resultó muy difícil al principio pero, una vez que comencé, fue mucho más fácil. Mientras me lavaba, sentí como si me estuviera lavando años de dolor y aflicción que se había acumulado al caminar por los caminos equivocados de la vida. El simple hecho de pensar en ello me hizo llorar. Verdaderamente sentí que Jesús estaba allí conmigo, y sé que está conmigo ahora aquí.

Quiero que sepas que hoy voy a ir a la iglesia por primera vez en cinco años. Espero encontrarme con Dios y decirle lo arrepentida que estoy de todo y hacerle saber lo mucho que él significa para mí.

Después de leer la carta de Susan, me puse a llorar. El Señor se había hecho presente de una manera muy profunda y había cuidado de su hija amada. Una vez que Susan reestableció su relación con Dios, su vida comenzó a cambiar. Fue capaz de tomar las decisiones correctas en lo referente a sus relaciones y, al poco tiempo, Dios comenzó a sanarla de todas sus heridas emocionales.

Si tú quieres, igualmente, vivir un encuentro profundo con el amor del Señor, entonces dedica algo de tiempo y permite que Jesús te lave. Comienza meditando sobre el pasaje bíblico de Juan 13. Colócate junto a Pedro y, una vez que aceptes el amor del Señor, invita al Espíritu de Jesús a que se haga presente y te limpie todo el dolor y los errores de tu pasado.

Cuanto se alzan los cielos sobre la tierra tan alto es su amor con los que le temen. Como el oriente está lejos del occidente así aleja de nosotros nuestras culpas.[6]

Jesús quiere ser muy real en tu vida. Dedica ahora mismo algo de tiempo para aceptar su amor misericordioso. Después de lavarte en su agua de vida, pregunta al Señor si hay algún acontecimiento de tu pasada sobre el que él quiere que escribas.

4

Escribe algunas cartas de sanación

Cuando el Señor me formó en el vientre de mi madre, él me dio su propio corazón, carácter y naturaleza divina. Según Génesis 1,26, fui creado a imagen y semejanza de Dios, y no vine a este mundo con ningún tipo de tendencias críticas, de enojo, abusivas o basadas en el temor.

A medida que crecí, la naturaleza divina que Dios me había dado comenzó a cambiar. Durante mi niñez, cada vez que resultaba herido, buscaba el amor y apoyo de mis padres. Si recibía su amor, la herida era sanada y me sentía mejor.

Si estaba herido y no recibía el amor y apoyo que necesitaba, entonces sufría durante un corto tiempo y luego reprimía ese dolor en las profundidades de mi alma. Con el paso del tiempo todo ese dolor que no había tratado y que había reprimido comenzó a afectar lentamente la naturaleza que Dios me había dado. Mi naturaleza pura e inocente desapareció y, en su lugar, se instaló un espíritu negativo y crítico.

Yo no sabía ni siquiera que era una persona crítica hasta que algunas de mis novias comenzaron a indicármelo. Las trataba de la misma manera que mi padre trató a mi madre. Yo no sabía ninguna otra manera de hacerlo. Cuando una de mis novias hacía algo que no cumplía mis expectativas, entonces le dirigía comentarios críticos que la herían, de la misma manera en la que yo había sido herido.

Después de varias rupturas dolorosas de noviazgo, decidí que tenía que prestar atención a mi actitud negativa. Al principio hice uso de terapia cognitiva para intentar deshacerme de mis tendencias negativas. Intenté dejar de pronunciar críticas cuando alguien hacía algo que no me gustaba.

El método cognitivo no funcionó porque, cada vez que intentaba no hacer un comentario negativo, sentía a un monstruo feroz surgiendo dentro de mí. Cuanto más pedía en oración ser liberado, más consciente me hacía Dios de todo el odio reprimido que sentía hacia mi padre.

A nivel consciente, yo no estaba furioso còn mi padre. Amo a mi padre. Es un buen hombre. Terminé siendo justo como él. Nos llevamos bien. A primera vista, no estaba enfadado con mi padre pero, en lo profundo de mi corazón, había una tonelada de dolor reprimido.

Empecé el proceso de perdonar a mi padre escribiendo una carta de sanación. Dediqué primero algo de tiempo a rezar y luego comencé a escribir una carta a mi padre, expresando en ella todos mis sentimientos reprimidos. Quería expresarlo todo, para así poder invitar más a la presencia amorosa del Señor a que habitara en mi corazón.

Antes de empezar a escribir la carta, me imaginé a mi padre, completamente sanado, frente a Jesús. Después de que hubiera mirado a sus ojos y sentido el amor del Señor en mi corazón, le escribí a mi padre la siguiente carta:

Querido papá:

Te escribo esta carta para expresarte mis sentimientos. Tú fuiste una persona muy negativa y crítica durante mi niñez. Nunca tuviste nada bueno que decirme y eso ¡duele! ¿Por qué no me dijiste nunca lo mucho que me querías? Lo único que yo quería era tu amor y tu aprobación. Yo te admiraba. Tú lo eras todo para mí. Estoy furioso. ¡No me merecía ser tratado así! Estoy triste porque quería un padre más amoroso. Estoy triste porque quería tu amor y tu aprobación, y siento como si nunca los hubiera recibido.

Ojalá pudiésemos retroceder en el tiempo y cambiar el pasado. Siento mucho no haber cumplido tus expectativas. Siento mucho que no tuviéramos una relación íntima. Te pido perdón por cualquier mal que te haya causado. Sé que tú nunca me hiciste daño deliberadamente. Sé que fuiste un niño dulce e inocente (como lo fui yo) a quien su padre hirió. Siento mucho que sufrieras de la misma manera que sufrí yo. Reestablezcamos nuestra relación y comencemos de nuevo. Te quiero.

Firmado, tu hijo Rob

Después de escribir la primera carta a mi padre, yo quería que me pidiera perdón. Tras expresar en el papel todo mi dolor, quería que la negatividad fuera reemplazada por el amor del Señor. No serviría para nada ir por la vida expresando negatividad todo el rato. Para poder completar el proceso de sanación tenía que invitar al amor del Señor a que penetrase mi corazón herido.

Para terminar mi ejercicio de la carta, me imaginé a mi padre parado frente a Jesús. Le pedí al Señor que me dijese, en nombre de mi padre, las palabras de amor que yo necesitaba escuchar. Si mi padre se encontraba totalmente sanado, lleno del amor de Dios, entonces mi padre me habría dicho exactamente esas palabras. Pero como cada uno de nosotros se encuentra en algún lugar del camino hacia la sanación, permití que el amor del Señor fluyera en mi padre mientras yo escribía la siguiente respuesta en su nombre:

Querido hijo:

Lo siento mucho. Nunca supe cuánto daño te había causado. Lo hice lo mejor que pude. Quise ser para ti el mejor padre del mundo. Lo siento. Lo intenté. Nunca quise herirte con mis comentarios negativos. Lo único que quería era que tú crecieras y fueses la mejor persona posible. No lo tengas en contra mía. Lo siento. Por favor, perdóname. Entiendo cómo te sientes. Yo también crecí con un padre muy crítico. Te quiere muchísimo. Estoy muy orgulloso de ti. Lo eres todo para mí.

Firmado, papá

Una vez que escribí esta carta en nombre de mi padre, los muros que yo mismo había construido alrededor de mi corazón comenzaron a derrumbarse. Al principio, no me podía creer que yo había escrito esa carta. Al releerla una y otra vez, me invadió la emoción y me eché a llorar. Las palabras pasaron de mi cabeza a mi corazón y fui capaz de aceptar el amor de mi padre y perdonarlo.

El dolor enorme que había estado llevando conmigo durante años desapareció, y ahora el amor de Dios había ocupado su lugar. Fue una experiencia tan poderosa que acto seguido me sentí físicamente más liviano. Tras perdonar a mi padre, mi actitud crítica despareció y mi naturaleza que Dios me había dado quedó restaurada a su condición original.

Si tú quieres restaurar la naturaleza que Dios te ha dado a su condición original, dedica algo de tiempo ahora mismo a pedirle al Señor que te enseñe cualquier acontecimiento de tu pasado que necesite de su toque sanador.

Una vez que el Señor haya hecho surgir durante la oración el recuerdo de un acontecimiento, comienza por imaginarte a esa persona. Empieza escribiendo una carta de sanación que no pienses enviar nunca. Expresa sobre el papel todo el dolor que has estado cargando durante años. Pide al Señor que te ayude a penetrar hasta lo más profundo de tu corazón y exprésalo todo. Ofréceselo todo al Señor. No te guardes nada.

Después de haber expresado sobre el papel todo el dolor y negatividad, imagínate a la persona que te hirió parada frente a Jesús, llena del amor de Dios. Permite que Jesús te hable en nombre de esa persona. Escribe todas las palabras de amor que te mereces escuchar.

Permite que el amor del Señor fluya en tu corazón. Entrégaselo todo al Señor. Perdona a la persona que te hirió. Di en voz alta las siguientes palabras: *Te perdono por haberme herido*. Dirige palabras de amor a la persona que te hirió. Permite que el amor del Señor fluya en tu corazón y en la vida de la persona que te hirió.

Termina tu oración deshaciéndote de las cartas y

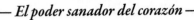

entregando todo al Señor. Pídele que lo selle todo con su santísima sangre. Al perdonar a las personas de tu pasado, estarás creando más espacio para que el Espíritu de Jesús resida en lo más profundo de tu alma.

5

Practica la
meditación de sanación

Una vez que descubrí la gracia profunda que existe al escribir cartas de sanación, comencé a escribir más sobre todo tipo de temas imaginables. Escribí cartas de sanación a mis padres, a mis antiguas novias y maestros. Incluso le escribí una carta a un enjambre de abejas porque una de ellas me había picado cuando era niño.

Tras escribir más de cien cartas de sanación, el Señor me mostró una técnica aun más poderosa. El proceso es parecido al ejercicio de escribir cartas, excepto que en este caso se usa la oración contemplativa y la meditación para invitar al poder sanador del Señor a irrumpir en experiencias negativas pasadas.

Normalmente comienzo este ejercicio rezando muy seriamente. Dedico un periodo de tiempo determinado a relajarme, imaginando que estoy en la playa. Intento hacer que esa escena tome vida en mi imaginación. Me imagino a las gaviotas sobrevolándome y las olas rompiendo suavemente en la playa. Me permito oler la brisa marina y sentir en mi rostro el calor del sol.

Después de acomodarme y relajarme en la playa, invito a Jesús a que se una a mí. Me lo imagino en su túnica blanca sentado junto a mí. Lo miro a los ojos y le hablo. Si por la razón que sea no puedo mirarlo a los ojos, o no llego a sentir su presencia junto a mí, entonces continúo reflexionando acerca de la situación hasta que descubro por qué mi relación con Dios ha quedado afectada.

Si he confesado en mi alma mis pecados, entonces le pido me otorgue su perdón y acepto su abrazo de amor. Una vez que mi relación con Jesús ha quedado restaurada, tomo su mano y le pido retroceder en el tiempo para sanar cualquier otro acontecimiento de mi pasado que siga interfiriendo en la naturaleza que Dios me ha dado.

Una vez, el Señor me hizo recordar un recuerdo de mi infancia. El niño de mi pasado (a quien llamaré "el pequeño Robbie") derramó un vaso de leche. Mi mamá, papá, mi hermano menor y mis dos hermanas estaban todos sentados en torno a la mesa del comedor. Tan pronto como se cayó el vaso, la leche se esparció como si fuera un charco blanco y corrió a lo largo de la grieta que había en la mitad de la mesa.

Cuando Jesús y yo nos adentramos en esa escena, mis papás estaban actuando como si fuera el fin del mundo. Podía sentir cómo brotaba en mí el enojo. El pequeño Robbie no había derramado la leche a propósito. Fue un accidente. Ya se sentía mal por ello y no necesitaba que nadie le gritara.

Tras introducirme en la escena, le pedí a Jesús la gracia que necesitaba y comencé a ayudar al pequeño Robbie. Levanté el niñito de su silla y lo sostuve en mis brazos. "No es culpa tuya", le dije. "Sé que no derramaste la leche a propósito. Por favor, no te sientas mal. Te quiero. Eres un buen niño, independientemente de cuánta leche se derrame".

Una vez que el pequeño Robbie se sintió mejor, presente a mi familia a Jesús. Tan pronto como lo hice, el poder del Espíritu Santo comenzó a suavizar los corazones de todos. Al mirar a los ojos a mis padres, me di cuenta de que sabían que estaba mal el haber gritado al pequeño Robbie.

Cuando les pedí que pidieran perdón por sus acciones inapropiadas, mi madre se puso de pié y primero le pidió perdón al Señor. A continuación, tomó al pequeño Robbie de mis brazos y le dijo: "Lo siento mucho. Por favor, perdóname. No debería haberte gritado. Es solo leche y tú siempre serás para mi mucho más importante que cualquier leche derramada".

Al observar que el amor de Cristo suavizaba el corazón de mi padre, me emocioné y comencé a llorar. "Yo también lo siento, papá. Durante todos estos años he estado furioso contigo. Ya no quiero seguir estando furioso contigo. Quiero amar como Jesús. Por favor, perdóname todas aquellas veces en la que yo también te he herido".

Cuando fui a abrazar a mi padre, el Señor colocó sus manos sanadoras alrededor de nosotros dos. Después de abrazarnos mutuamente, le dije al pequeño Robbie que volvería a visitarlo tantas veces como pudiera. Tras pedirle al Señor que lo sellara todo con su santísima sangre, le dí gracias a él por haberme dado la gracia que necesité para poder retroceder hasta ese acontecimiento pasado y perdonar a mis padres.

El mismo poder sanador que me permitió retroceder en el tiempo está también a tu alcance ahora mismo. Jesús transciende el tiempo. Jesús no está limitado por el tiempo o el espacio. El Señor, cuando le das permiso, retrocederá contigo en el tiempo para sanar cualquier acontecimiento de tu pasado en el que resultaste herido.

Puedes comenzar el proceso ahora mismo, dedicando algo de tiempo a la oración. Una vez que te hayas relajado y dejado de lado todas las distracciones que te rodeen, simplemente invita a Jesús a que se haga muy presente para ti. Imagínate cómo es. Háblale como si estuviera parado enfrente a ti. Dale un abrazo. Míralo a los ojos.

Una vez que hayas dedicado mucho tiempo a desarrollar una relación auténtica con el Señor, pídele que retroceda contigo a tu pasado, a un acontecimiento en el que fuiste herido. Permite que el Espíritu del Señor te haga consciente del acontecimiento doloroso que necesita de su toque sanador.

Cuando el Señor te haya mostrado algo, permite que tu persona del presente retroceda en el tiempo y cuide del niño pequeño de tu niñez. Si los compañeros de escuela fueron malos contigo, regresa en el tiempo y ayuda a toda la clase. Háblales a los niños acerca de Jesús. Preséntales al Señor y pídeles que le pidan perdón.

Si descubres que fuiste abusado por personas con autoridad, entonces pide al Señor que traiga consigo poderosos ángeles guerreros. Una vez que te hayas enfrentado con las personas que te hirieron, permite que el Espíritu del Señor atraviese la dureza de tu corazón. Imagínatelas inclinándose y pidiéndole perdón al Señor.

Una vez que estas personas hayan pedido perdón por las acciones inapropiadas que realizaron, quizá te resulte de ayuda el extraer al niño de la situación abusiva. Simplemente pregunta a Jesús a dónde le gustaría ir a continuación. Permite que el niño tome la mano del Señor y sigue a Jesús hasta un lugar acogedor y seguro.

Al dedicar tiempo a cuidar a ese niño herido de tu pasado, estarás restaurando a su condición original el designio natural que Dios te ha hado.

6

Déjate caer en sus brazos de amor

Después de experimentas muchos encuentros profundos con el Señor por medio de la meditación de sanación, decidí llamar a mi padre para ofrecerle la misma oportunidad. Comencé la conversación diciéndole: "Lo deberías intentar. Jesús quiere liberarte de todo dolor y reemplazarlo con su extravagante amor".

"¿Cómo funciona esta meditación de sanación?", me preguntó.

"Simplemente haz una lista de las diez peores cosas que jamás te hayan ocurrido. Vendré la semana que viene para ayudarte a tratar con ellas".

Tras rezar por mi padre durante toda la semana, fui manejando hasta su casa temprano por la tarde. Como mi madre estaba fuera haciendo encargos, pude dedicar varias horas ininterrumpidas a estar con el Señor.

Al entrar en la casa de mi padre, me senté en el suelo de la sala y le pedí a mi padre que se sentara en su silla favorita y se relajase. Comenzamos el ejercicio con una oración. Le pedía mi padre que cerrara los ojos y se centrase en un acontecimiento de su pasado que quisiera que fuese sanado. Comenzó diciendo:

"Crecer en una granja requería mucho trabajo. Aquellos eran tiempos difíciles...

"Un día estábamos secando papas en un remolque plano. Era un día soleado, pero el cielo se oscureció y comenzó a llover. Tu abuelo no quería que las papas se mojaran porque las teníamos que guardar todo el invierno en el sótano. Si las papas no estaban completamente secas empezarían a echar brotes.

"Yo quería ayudara mi padre a llevar el camión hasta el establo y me ofrecí a guiar el eje delantero mientras que él empujaba el remolque".

De repente mi padre abrió los ojos y me miró como su fuera a llorar.

"No pasa nada, papá", le dije. "Jesús te va a sanar. Simplemente cierra los ojos y sigue pensando en ese evento".

"Lo único que quería hacer era llevar las papas hasta el establo", dijo con voz débil mi papá. "Pero al girar, no guié el remolque lo suficiente y la rueda delantera golpeó la puerta del establo y se detuvo. Para entonces estaba lloviendo más fuerte que antes, así que mi padre agarró un trozo de madera y comenzó a pegarme con él".

"No te preocupes, papá. Jesús te va a sanar", le dije. "Invitemos a Jesús a que entre en la escena para que ayude al niño. Quiero que retrocedas con Jesús en el tiempo y cuides del pequeño Richard. ¿Lo harás?".

"Sí", dijo mi padre. "Puedo ver a Jesús junto al remolque, y también me puedo ver a mí mismo".

"Muy bien. Ahora quiero que agarres el trozo de madera de las manos de tu padre y le digas que no está bien pegarle a un niño".

"Tan pronto como mi papá se dio cuenta de que Jesús había estado observándolo todo el tiempo, mi padre dejó caer el trozo de madera", dijo mi papá. "Me doy cuenta, por la manera en la que actúa, de que se arrepiente de sus acciones".

"Muy bien", le dije. "Ahora quiero que agarres al niño y lo sostengas en tus brazos. Dile que no es culpa suya".

Cuando miré a mi padre vi lágrimas derramándose por su rostro. Por la manera en la que estaba sentado en la silla parecía como si estuviera sosteniendo en sus brazos a un niño herido. Siguió sosteniendo al pequeño Richard durante mucho tiempo hasta que le pregunté si su padre estaba preparado para pedirle perdón.

"Sí", dijo mi padre. "Lo siente mucho. Puedo imaginarme a mi padre de rodillas ante Jesús para pedirle perdón, para a continuación tomar al pequeño Richard de sus brazos y decirle: 'Por favor, perdóname'. Casi no puede hablar porque está llorando mucho. Jesús se acerca y nos abraza a los dos con sus brazos de amor".

"¡Muy bien! ¿Cómo se siente ahora el niño?", le pregunté.

"Se siente mucho mejor. Vuelve a estar feliz", dijo mi padre.

"Cuando estés preparado para despedirte, dile adiós al pequeño Richard. Pregúntale si hay algo divertido que quiera hacer, para que así lo puedas dejar con Jesús en ese lugar acogedor y seguro. Di a tu padre que lo quieres mucho y que regresarás para visitarlo en la granja otro día".

Unos días más tarde, mi padre era un hombre diferente. Podía sentir físicamente en su cuerpo los efectos de la sanación emocional. Todo el dolor y vergüenza que había cargado consigo durante años habían desaparecido completamente. Su actitud dura hacia los demás había sido transformada en la mansedumbre de un niño.

El encuentro de mi padre con el Señor me recordó aquella vez cuando Jesús dijo: *"'Dejen que los niños vengan a mí y no se lo impidan, porque el Reino de Dios pertenece a los que son como ellos. En verdad les digo: quien no reciba el Reino de Dios como un niño, no entrará en él'. Jesús tomaba a los niños en brazos e, imponiéndoles las manos, los bendecía".*[1]

Jesús quiere, igualmente, abrazar a todos sus hijos amados. Jesús te ama. Él vino para que tengas vida y la tengas en abundancia. No permitas que los acontecimientos dolorosos de tu pasado obstaculicen tu habilidad para poder vivir la vida en plenitud. Permite que el poder sanador del Señor te transforme hoy la vida.

7

Acepta el consejo del Señor

Un día conocí a un señor llamado Bill que sufría de depresión crónica. A lo largo de los años Bill había visitado a muchos psicólogos, pero su situación empeoraba cada vez más. Lo único que los psicólogos querían hacer era hablar de sus problemas y recetarle diversos medicamentos para hacer que se sintiera mejor.

Cuando comencé a ayudar a Bill, le pedí que empezara la meditación de sanación con una oración. Yo quería que se imaginara un paisaje natural donde se sintiera en paz y por eso le dije: "Cierra los ojos y concéntrate en esa escena hasta que la completemos. Quiero que te imagines a ti mismo en un paisaje montañoso o en la playa".

"Me veo a mi mismo en una roca, en el medio de una gran pradera", dijo Bill. "Las mariposas revolotean en el aire y estoy rodeado de hierbas de la pradera altas, con flores silvestres a mi alrededor".

"Por favor, pide a Jesús que se te una", le dije. "Imagínate qué apariencia tiene Jesús. Pídele que te lleve de regreso al pasado, a un acontecimiento que quieres tratar".

"Veo a Jesús de pie ante mí, pero no está diciendo nada", dijo Bill.

"Una vez que le hayas entregado tus temores y control al Señor, toma su mano y síguele a donde quiere que tú vayas".

"Ahora veo a un niño sentado en la roca", dijo Bill.

"¿Qué siente el niño?".

"No entiende la vida. Hay muchas cosas que le son inciertas y confusas".

"¿Cómo qué?", le pregunté.

"Ahora lo veo en frente de una escuela. La campana acaba de sonar y todos los niños han salido corriendo hacia sus clases. Él está parado en frente de la puerta principal, temeroso de entrar. La maestra Krobopple se le acerca. Estaba dentro del aula, contando los pupitres vacíos, y ahora, ¡viene a por él!".

"No te preocupes. Vamos a hablar largo y tendido con la maestro Krobopple, pero antes necesitamos ayuda. Quiero que tú y Jesús entren en la escena y ayuden al pequeño Bill. Acércate y preséntate al niño. ¿Lo puedes hacer? ¿El niño confía en ti?".

"¡No! ¡No confía en nadie!".

"Dile que estás aquí con Jesús, para defender sus derechos. ¿Confía el pequeño Billy en Jesús?".

"¡No! ¡Todo el mundo siempre está intentando herirlo!".

"¿Qué hará la maestra Krobopple cuando encuentre a Bill fuera de la escuela después de que haya sonado la campana que marca el principio de clases?", le pregunté.

"Lo castigará y lo regañará en frente de todos los demás".

"Di a Billy que lo vamos a proteger. Para demostrarle que somos sus amigos vamos a hablar con la maestra Krobopple en el corredor, antes de que salga de la escuela. Si le parece bien a Billy, dale la mano y entren por la puerta. Cuando vean a la maestra Krobopple díganle lo mucho que ella ha estado hiriendo a Billy".

"La veo. Está buscando a Billy y está furiosa. Ha empezado a gritarle".

"Quiero que defiendas tus derechos. Di a la maestra que está traumatizando al niño".

"Ella dice: '¡Esta es mi escuela!'".

"Haz que Jesús le diga a la maestro Krobopple de quién es verdaderamente esta escuela. Todo el universo pertenece al Señor, incluyendo los niños preciosos a los que ella está hiriendo".

"Jesús le ha dicho a la maestro que su alma corre un gran peligro. Me doy cuenta de lo arrepentida que está la maestra porque se acaba de emocionar y ha comenzado a llorar", dijo Bill.

"Di a la maestra Krobopple que le pida perdón a Billy. Después de que le haya pedido perdón, quiero que presentes a Jesús a todos los amigos de Billy".

"Billy no tiene ningún amigo", dijo Bill mientras le caían lagrimas por el rostro.

"Ya verás que, una vez que todos sepan cómo el pequeño Billy hizo que la maestra Krobopple se rindiera, Billy será el niño más popular de la escuela. Ven, habla a los niños acerca de Jesús. Haz que miren hacia el corredor y vean a la maestra K-robopple de rodillas ante el Señor".

Una vez que todos los niños habían mirado cautelosamente el corredor, estalló una gran celebración en el salón. Jesús puedo atender a todos los niños de la escuela y Bill se transformó en un nuevo hombre.

Durante los siguientes días Bill se dio cuenta de que habían desaparecido tanto su tendencia a dejar las cosas para otro día, como sus pensamientos suicidas, los cuales lo habían plagado durante muchos años. Ahora Bill podía disfrutar de una relación más profunda con el Señor, así como realizar con menos esfuerzo las tareas diarias.

Hubo otro hombre, llamado John, que también necesitó seguir los consejos del Señor antes de poder ser liberado. De vez en cuando un temor paralizador lo invadía e impedía que pudiera tomar decisiones importantes en su vida. Antes de que John pudiera ser sanado, el Señor tenía que llevarlo de regreso al pasado, a un episodio donde John jugaba con sus hermanos y hermanas.

Había un baúl antiguo en el sótano de la casa y los niños estaban intentando ver quién cabía en el baúl con la tapa cerrada. Cuando le llegó el turno a John, alguien cerró la tapa con candado y dejaron a John ahí metido. Nadie tenía la llave del candado y todos sus hermanos se marcharon corriendo porque ninguno quería meterse en problemas. Pasaron varias horas y todos olvidaron que John seguían encerrado en el baúl.

Para ayudar a John a sanar esa experiencia pasada, invitamos al Espíritu de Jesús a la meditación de sanación. El mismo Jesús que había atravesado puertas cerradas cuando sus discípulos se escondieron en la habitación de arriba es el mismo Jesús que quería entrar en el baúl cerrado y rescatar a su hijo amado.

Una vez que invitamos a Jesús a que entrase en la escena, le pedimos que la Luz del mundo iluminara el baúl oscuro con el brillo de su increíble amor. Después de que Jesús cuidó del pequeño Johnny, pedimos a su madre que abriera el candando. Una vez que John perdonó a sus hermanos y hermanas, quedó libre de las ataduras paralizadoras de la ansiedad que le habían estado plagando toda su vida desde la niñez.

Si tú sufres de algún dolor mental, espiritual o físico, pide a Jesús que te muestre el origen del problema. A veces los espíritus del temor y la enfermedad tienen el derecho a entrar en nuestras vidas a través de experiencias traumáticas pasadas. Cuando esto sucede, la mayoría de las personas echan la culpa a Dios y piensan que él las está castigando. En vez de dirigirse a Jesús para que los sane, muchas personas permiten gradualmente que la enfermedad destruya sus vidas.

Si sufres de alguna condición mental, física o espiritual seria, dedica ahora algo de tiempo a la oración. Retrocede en el tiempo con el Señor y pídele que te muestre el origen del problema. Jesús te ama. Él cargó con todo el pecado y enfermedad del mundo para que tú puedas ser libre. Acepta el amor misericordioso del Señor con los brazos abiertos y permítete ser transformado en el hijo de Dios que el Señor quiso desde un principio que fueras.

8

Busca al
amante de tu alma

A lo largo de todas las Sagradas Escrituras, Dios expresa su amor eterno por nosotros. En el Cantar de los Cantares, Dios describe su pasión por nosotros como si se tratase de un joven apasionado por su amada:

> *¡Qué bella eres, amada mía,*
> *qué bella eres!*
> *Me robaste el corazón,*
> *hermana mía, novia mía,*
> *me robaste el corazón*
> *con una sola mirada tuya.*[1]

El joven amante del Cantar de los Cantares cruza la ciudad para ver a su amada, llama a su puerta, extiende su mano a través del enrejado y le dice: *"Ábreme, hermana mía, compañera mía, paloma mía, preciosa mía".*[2]

La joven se toma su tiempo. Se pregunta a sí misma: *"Oí la voz de mi amado que me llamaba: Me quité la túnica, ¿tendré que ponérmela otra vez? Me lavé los pies, ¿tendré que ensuciármelos de nuevo?".*[3]

Tras tomarse algo más de tiempo y pensar acerca de todas las razones por las que no debería levantarse a abrirle, finalmente se levanta y abre la puerta. Entonces dice: *"Abrí a mi amado, pero mi amado ya se había ido"*.[4]

La joven se da cuenta de su error y sale a la calle oscura en búsqueda de su amado. *Lo busqué y no lo hallé, lo llamé y no me respondió. Me encontraron los centinelas los que andan de ronda por la ciudad, me golpearon y me hirieron. Me quitaron mi chal.*[5]

Sin alguien que la protegiera, la joven es susceptible a ser atacada. Es víctima del abuso en la plaza del pueblo mientras busca a su amado. Al día siguiente implora a sus amigas: *"Hijas de Jerusalén, yo les ruego por si encuentran a mi amado... ¿Qué le dirán? Que estoy enferma de amor"*.[6]

Lo mismo es verdad en nuestra relación con Dios. Jesús quiere desesperadamente establecer una relación de amor apasionada con todos sus hijos amados, pero cuando nosotros pasamos más tiempo con nuestros falsos amantes en lugar de dedicarlo a nuestra verdadera devoción, entonces el Señor quizá se aleje lentamente y nos parezca que está muy distante.

Normalmente, cuando no hay nada mejor que hacer, abrimos la puerta para ver si el Señor del universo todavía está afuera esperando, pero a menudo ya se ha marchado. Entonces quizá salimos a la oscuridad en busca de la Luz del mundo, pero lo único que nos sucede es que sufrimos abusos y pensamos que a Dios no le importa.

Si quieres establecer una relación de amor apasionada con Jesús, necesitarás cumplir con tu parte de la relación. Jesús desea tu total devoción. Le duele cuando cometes el pecado de la idolatría, rezando a dioses falsos y buscando a amantes falsos. Jesús quiere ser tu primera y primordial prioridad en tu vida.

Si el Señor parece estar distante y alejado, quizá quieras salir en su busca. Una de las maneras más poderosas de demostrarle que esto es algo serio para ti fue revelado aquel día en el que varios hombres le hicieron a Jesús una pregunta muy importante: *"Los discípulos de Juan y los de los fariseos ayunan; ¿por qué no lo hacen los tuyos?".*[7]

Jesús les contestó diciendo: *"¿Quieren ustedes que los compañeros del novio ayunen mientras el novio está con ellos? Mientras tengan al novio con ellos, claro que no pueden ayunar. Pero llegará el momento en que se les arrebatará el novio, y entonces ayunarán".*[8]

Cuando el novio caminaba de la mano con su novia amada, resultaba muy fácil acercársele y recibir su abrazo de amor. Ahora que se ha marchado, es un poco más difícil situarnos en la presencia del Señor cuando queramos y por eso es que es tan importante el ayunar.

Ayunar tiene el poder de romper todas las ataduras impías que pueden estar impidiendo que puedas estar en comunión con el Señor. Ayunar abre un conducto espiritual del cielo a la tierra, de manera que te resulte más fácil aceptar el poder sanador del Señor. Ayunar es la manera más profunda que conozco para poder experimentar la presencia divina de Cristo.

La primera vez que oí hablar del ayuno, no me interesó. Alguien debió de haberme explicado erróneamente el concepto. Ayunar no tiene nada que ver con auto-castigarse. Dios no disfruta viendo a sus hijos amados sufrir, y mucho menos verlos castigarse a sí mismos intentando ganar su aprobación.

Ayunar consiste en transformar el hambre de alimentos por hambre de Dios. Cuando alguien ayuna, se está negando a sí mismo lo bueno del alimento físico a cambio del alimento espiritual. Cuando imploramos a Dios porque tenemos hambre espiritual, el Señor nos alimenta de manera sobrenatural.

Comencé a ayunar dejando de desayunar un día. Inmediatamente la parte carnal de mi ser empezó a buscar excusas: *Me arruinará la dieta. Perderé mucho peso.* Pero tras pensar en qué era más importante —¿Buscar a Dios o mi dieta?—, decidí intentar darle una oportunidad al ayuno.

Tras pasar casi toda una mañana en oración, la presencia de Dios era extremadamente notable. Podía sentir su caluroso amor mucho más cerca de lo habitual. Sentía como si el Señor estuviera justo a mi lado todo el tiempo.

No pasó mucho tiempo cuando me encontré embarcado en lo que mis amigos llaman *semanas santas.* Ayunaba toda la semana, bebiendo sólo jugo y agua, y le pedía al Señor que quemara cualquier tipo de oscuridad y heridas emocionales que hubiera en mi alma. Pasaba toda la semana en oración, escribiendo cartas de sanación y estudiando la Sagrada Escritura.

Normalmente comenzaba la semana con una taza de té de menta con miel. Alrededor de las 9 de la mañana bebía un vaso de jugo de naranja recién exprimido. Al mediodía preparaba en la batidora un licuado de proteínas con plátanos congelados. Por la noche me hacía un jugo de zanahorias, tomate y apio frescos. Cada día también tomaba vitaminas y un poquito de sal.

Al tercer día de ayunar, me encontraba en un estado espiritual álgido. Los dos primeros días resultaban un poco más difíciles. Mis niveles de glucosa disminuían y normalmente tenía frío y me sentía cansado, pero una vez que llegaba el tercer día, se abría un conducto espiritual del cielo a la tierra. Mi forma de pensar pasaba a ser divinamente inspirada y sentía la presencia divina de Dios como nunca antes la había sentido.

Si tienes hambre de una relación más profunda e íntima con Jesús, quizá quieras intentar ayunar. Cuando transformas toda tu hambre de alimentos por hambre de Dios, Jesús manifestará a su Espíritu en tu vida y comenzará a alimentarte con un banquete divino de alimentos celestiales.

¿A qué esperas? Embárcate en una *semana santa* y permite que el poder milagroso del Señor te transforme tu vida hoy mismo.

9

Descansa en
el silencio sagrado

Un día un joven se dirigió a su padre y le pidió su parte de la herencia. El padre intentó que su hijo entrara en razón, pero este no quiso escuchar. Cada día el hijo demandaba más, de manera que el padre, a causa de su gran amor, al final le concedió su petición.

El hijo menor juntó todos sus haberes, y unos días después se fue a un país lejano. Allí malgastó su dinero llevando una vida desordenada. Cuando ya había gastado todo, sobrevino en aquella región una escasez grande y comenzó a pasar necesidad. Fue a buscar trabajo y se puso al servicio de un habitante del lugar, que lo envió a su campo a cuidar cerdos. Hubiera deseado llenarse el estómago con las bellotas que daban a los cerdos, pero nadie se las daba.[1]

Cada día que el joven pasaba alejado de la casa de su padre más débil y deprimido se encontraba. Al poco tiempo enfermó. Intentó todo lo que pudo para sentirse mejor, pero nada de lo que hizo ayudó a consolar la dolorosa necesidad que existía en lo más profundo de su alma.

Un día el joven recapacitó y se dijo a sí mismo:

"¡Cuántos asalariados de mi padre tienen pan de sobra, mientras yo aquí me muero de hambre! Tengo que hacer algo: volveré donde mi padre y le diré: 'Padre, he pecado contra Dios y contra ti. Ya no merezco ser llamado hijo tuyo. Trátame como a uno de tus asalariados'".[2]

Se levantó, pues, y se fue donde su padre. Estaba aún lejos, cuando su padre lo vio y sintió compasión; corrió a echarse a su cuello y lo besó.[3]

Entonces el hijo le habló: "Padre, he pecado contra Dios y ante ti. Ya no merezco ser llamado hijo tuyo".[4]

Pero el padre dijo a sus servidores: *"¡Rápido! Traigan el mejor vestido y pónganselo. Colóquenle un anillo en el dedo y traigan calzado para sus pies. Traigan el ternero gordo y mátenlo; comamos y hagamos fiesta, porque este hijo mío estaba muerto y ha vuelto a la vida; estaba perdido y lo hemos encontrado".[5]*

Jesús quiere, igualmente, que todos sus hijos amados regresen a su abrazo de amor. Jesús quiere alimentarte con el mejor alimento espiritual, colocarte un anillo en el dedo y vestirte con vestiduras de reyes.

Para embarcarte en este viaje sagrado, lo único que necesitas en adentrarte en las profundidades de tu corazón. No hace falta viajar a un país lejano buscando el amor en los lugares equivocados. El Reino de los Cielos habita en la profundidad de tu alma. Lo único que necesitas es entrar en las profundidades de tu santuario interior.

¿A qué esperas? Puedes comenzar ahora mismo a estar en comunión con Jesús. Lo único que necesitas es empezar a escuchar su voz suave. Al igual que las ovejas escuchan la voz de pastor, Jesús dice: *"Mis ovejas escuchan mi voz y yo las conozco. Ellas me siguen".[6]*

Jesús desea desesperadamente habar contigo. Jesús quiere iluminar todos los acontecimientos diarios de tu vida. Quiere dirigirte palabras de sabiduría para ayudarte a evitar tomar decisiones incorrectas en tu vida.

Yo comencé a escuchar la voz del Buen Pastor hace muchos años, cuando me comprometí a dedicar una hora diaria a practicar la oración contemplativa. Al principio el proceso me resultó muy difícil. Tenía toda clase de pensamientos dañinos recorriendo mi mente. Requirió mucha disciplina poder relajar mi mente y sentarme completamente en silencio ante el Señor.

Una vez que alcancé un estado de tranquilidad y paz, el Espíritu del Señor pudo comenzar a cuidar de mí. Cuando mi mente se llenaba de ruido y distracciones, no quedaba espacio para el Señor. Tan pronto como creaba espacio para la suave voz de Jesús, él se me aparecía y comenzaba a impartir en mi vida sus palabras de sabiduría.

En muchas ocasiones simplemente me imaginaba el rostro de Jesús y fijaba mi mirada en sus ojos amorosos. Otras veces él me llenaba con su presencia amorosa. Tras dedicar una hora a practicar la oración contemplativa por la mañana, me sentía aún más ungido y capacitado para afrontar el resto del día.

En otras ocasiones el Señor me guiaba a las profundidades mi corazón y empezaba a enseñarme personas de mi pasado a quienes necesitaba perdonar. El Señor quería abrir todas las puertas de mi hogar espiritual y ayudarme a limpiar toda la basura para que hubiese más espacio para su divina presencia.

El Señor quería llenar todo mi hogar espiritual con su deslumbrante luz blanca. Quería ocupar todos y cada uno de los aspectos de mi alma, y él estaba dispuesto a compartir cualquier parte de mí donde hubiera oscuridad, enfermedad o dolencias.

El Señor quiere, igualmente, llevarte a ti en un viaje profundo e interior. Puedes comenzar el proceso ahora mismo, eliminando todas las distracciones ruidosas de tu vida. Encuentra en tu casa un lugar silencioso y empieza a descansar en silencio total ante el Señor. Invita al Buen Pastor a que se una a ti. Aprende a escuchar su suave voz.

Jesús desea desesperadamente que estés en comunión con él. Acércate a él. Te está llamando ahora mismo. Acepta, en la tranquilidad y paz de tu corazón, su amor con tus brazos abiertos.

10

Entra en el
Reino de los Cielos

Un día Jesús se encontraba en la orilla del mar cuando comenzó a reunirse una gran multitud. Jesús comenzó a enseñar diciendo: *"Aquí tienen una figura del Reino de los Cielos: el grano de mostaza que un hombre tomó y sembró en su campo. Es la más pequeña de las semillas, pero cuando crece, se hace más grande que las plantas de huerto. Es como un árbol, de modo que las aves vienen a posarse en sus ramas".[1]*

De nuevo les dijo otra parábola diciendo: *"El Reino de los Cielos es como un tesoro escondido en un campo. El hombre que lo descubre, lo vuelve a esconder; su alegría es tal, que va a vender todo lo que tiene y compra ese campo".[2]*

Cuando terminó de hablar, los discípulos le preguntaron: *"¿Por qué les hablas en parábolas?".[3]*

Jesús les respondió: *"A ustedes se les ha concedido conocer los misterios del Reino de los Cielos, pero a ellos, no. Porque al que tiene se le dará más y tendrá en abundancia, pero al que no tiene, se le quitará aun lo que tiene".[4]*

Antes de que puedas entrar en el Reino de los Cielos, tendrás que invitar al Espíritu de Jesús a que habite en el interior de tu corazón. Una vez que el Gran Rey haya hecho de las profundidades de tu alma su hogar, él se convertirá en tu posesión más valiosa. Como el tesoro escondido en un campo, nada podrá compararse con la gran riqueza de Dios. Él te concederá una riqueza espiritual que irá mucho más allá de lo que el mundo te pueda ofrecer.

¿A qué esperas? Jesús tiene unos planes increíbles para tu vida. Tienes a un Dios que desea hacerte su novia amada. *Y serás una corona preciosa en manos de Yavé, un anillo real en el dedo de tu Dios. Como un joven se casa con una muchacha virgen, así el que te reconstruyó se casará contigo, y como el esposo goza con su esposa, así harás las delicias de tu Dios.*[5]

Has sido invitado a pasar el resto de la eternidad con Dios en el cielo. ¿A qué esperas? *¿No han aprendido nada en el estadio? Muchos corren, pero uno solo gana el premio. Corran, pues, de tal modo que lo consigan.*[6] Deja de lado todo peso y obstáculo que tengas junto a ti y comienza a correr la carrera con la intención de ganar el premio eterno.

Ha llegado la hora. ¡El Reino de los Cielos está cerca!

Ejercicio de cartas de sanación

1. Pasa tiempo en oración y pídele al Señor que te muestre si hay heridas emocionales sin resolver que estén causando problemas a tu salud. Si el Señor trae a tu mente a alguien que te ha lastimado, pide al Espíritu Santo que te devuelva la plenitud de tus emociones reprimidas, de modo que puedas ser liberado.

2. Después de que hayas identificado un acontecimiento doloroso que necesita ser sanado, trata de separar esa situación de cualquier otra cosa que te haya ocurrido. Por ejemplo, en lugar de tratar muchos años de abuso emocional a la vez, intenta aislar una experiencia y sigue trabajando en ese problema hasta que sea resuelto.

3. Comienza este ejercicio con mucha oración y meditación. Encuentra un lugar donde puedas estar a solas con Dios. Asegúrate de tener suficientes pañuelos y los materiales necesarios para escribir.

4. Visualiza en tu mente a la persona que te hirió. Imagínate que esta persona puede escuchar todo lo que le vas a decir. Si la persona ha fallecido, imagínatela en el cielo de pie al lado de Jesús.

5. Comienza escribiendo la carta con estas palabras: *¡Estoy enojado porque me heriste!* Dí a esa persona todas las formas en que te hirió con sus acciones descuidadas e irrespetuosas. Continúa escribiendo las siguientes palabras: *Estoy enojado*. Escríbelas una y otra vez. Expresa

todo tu enojo en el papel. No te preocupes por la ortografía o la gramática. Simplemente expresa todo lo que necesita ser dicho.

6. Después de expresar todo tu enojo, continúa con los temores que hayas experimentado. ¿Cómo afectó tu vida esta persona? Describe cómo las consecuencias del comportamiento descuidado de esa persona han influido en tus relaciones hasta el presente.

7. Después de que hayas expresado los temores o los sentimientos de culpabilidad, presta atención a tu tristeza. Dí a esa persona lo que querías que hubiese ocurrido pero que no sucedió. Si le estás escribiendo a tu papá, dile: *Estoy triste porque quería que tuviéramos una mejor relación. Quería que me trataras como un hijo/a amado/a. Quería tu amor y tu apoyo.*

8. Concluye tu carta con cualquier otra cosa que quisieras decir a esa persona, y a continuación comienza una nueva carta visualizando a la persona que te hirió en un estado de sanación total. Imagínatela en el cielo de pie al lado de Jesús. Imagina a esa persona llena del amor de Dios y, debido a que está llena del amor divino, permítele que te ofrezca disculpas.

9. Comienza tu carta de perdón diciendo: *Siento haberte herido. Tú no merecías haber sido tratado así. Lo siento. Por favor, perdóname.* Luego escribe todas las palabras amorosas que necesitas escuchar.

10. Concluye tu carta de perdón con una oración. Deposita a la persona que te hirió en las manos del Señor, y pídele que te limpie de toda negatividad que hayas adquirido al aceptar el abuso de esa persona. Entrega a esta persona al Señor, y si fuere apropiado, pide a Jesús que rompa toda atadura perjudicial del alma.

11. Permítele a Jesús hablarte a través de una carta final. Acepta el amor de Dios y su perdón. Permite que el amor y el perdón del Señor fluyan en tu corazón y lo limpien de todas las maldiciones, resentimiento y negatividad.

12. Pídele al Señor que te muestre si hay otra cosa de la que necesitas ser liberado. Déjate caer en los brazos del Señor y sé libre para siempre; libre para ser el hijo de Dios que el Señor quería que tú fueras desde un principio.

Notas

Introducción
1. Juan 4,9.
2. Juan 4,10.
3. Juan 4,11.
4. Juan 4,13–14.
5. Juan 4,15.
6. Juan 4,16.
7. Juan 4,17.
8. Juan 4,17–18.
9. Juan 4,18.
10. Juan 4,28–29.
11. Juan 10,10.
12. Juan 7,37–38.

1 — Extiende una invitación a Jesús
1. Juan 14,23.
2. 1 Juan 5,10 y 12.

2 — Reconoce la dolorosa verdad
1. Mateo 26,31.
2. Mateo 26,33.
3. Mateo 26,34.
4. Mateo 26,35.
5. Lucas 22,56.
6. Lucas 22,57.
7. Lucas 22,58.
8. Lucas 22,59.
9. Lucas 22,60.
10. Lucas 22,61.
11. Lucas 22,62.
12. Juan 21,3.
13. Juan 21,3.

14. Juan 21,6.
15. Juan 21,7.
16. Juan 21,10.
17. Juan 21,15.
18. Juan 21,15.
19. Juan 21,16.
20. Juan 21,16.
21. Juan 21,17.
22. Juan 21,17.
23. Juan 21,17.

3 — Lávate con su agua vivificante
1. Juan 13,5.
2. Juan 13,6.
3. Juan 13,7.
4. Juan 13,8.
5. Juan 13,8.
6. Salmo 103,11–12.

6 — Déjate caer en sus brazos de amor
1. Marcos 10,14–16.

8 — Busca al amante de tu alma
1. Cantar de los Cantares 4,1 y 9.
2. Cantar de los Cantares 5,2.
3. Cantar de los Cantares 5,2 y 3.
4. Cantar de los Cantares 5,6.
5. Cantar de los Cantares 5,6–7.
6. Cantar de los Cantares 5,8.
7. Marcos 2,18.
8. Marcos 2,19–20.

9 — Descansa en el silencio sagrado
1. Lucas 15,13–16.
2. Lucas 15,17–19.
3. Lucas 15,20.
4. Lucas 15,21.
5. Lucas 15,22–24.
6. Juan 10,27.

10 — Entra en el Reino de los Cielos
1. Mateo 13,31–32.
2. Mateo 13,44.

3. Mateo 13,10.
4. Mateo 13,11–12.
5. Isaías 62,3 y 5.
6. 1 Corintios 9,24.

Texto de la contraportada
Mateo 11,28.

Acerca del autor

El propósito y la pasión de la vida de Robert Abel son predicar la verdad de Dios a la generación actual. Vive en Denver, Colorado, donde ayuda a sanar a quien sufre, dándole consejos e impartiendo seminarios de sanación espiritual.

Si deseas que Robert hable en tu parroquia o si te gustaría compartir con él algún testimonio de sanación personal, por favor, contáctalo a través de **www.PoderSanador.com**

El poder sanador de Jesús
por Robert Abel

**¿Tienes dolor?
¿Sufres a causa de
una enfermedad grave?
¡Dios quiere liberarte!**

La Biblia nos dice que Jesucristo es el mismo ayer, hoy y siempre. El mismo poder milagroso que brotó de la vida de Cristo está a tu disposición hoy mismo. Lo único que tienes que hacer es acceder a este poder.

En este libro, Robert Abel te enseñará cómo hacerlo. Los ejercicios espirituales que ofrecen estas páginas dadoras de vida tienen el poder de destruir todas las ataduras, enfermedades y dolencias de tu vida, de sanarte y de guiarte hacia una relación íntima con tu Padre celestial.

Esta promesa se te ha hecho a ti. ¿A qué esperas? Permite que el poder milagroso del Señor te transforme la vida hoy mismo.

**Este libro está disponible en tu librería local o en línea en
www.PoderSanador.com**

96 Páginas — $6.99 U.S.

Si quieres apoyar o ser parte de nuestro ministerio de sanación, propaga el mensaje de *El poder sanador del corazón* a todas las personas enfermas o que estén sufriendo que conozcas. Para adquirir más ejemplares de este libro para servir a los demás o para hacer un donativo, usa la siguiente información.

Ejemplares	Precio de ministerio
6	$29 US
12	$49 US
18	$69 US

Estos precios incluyen impuestos y gastos de envío dentro de los Estados Unidos. Para envíos a otros países, por favor, contáctanos. Gracias por tu generosa aportación.

Envía el pago a:

Valentine Publishing House
El poder sanador del corazón
P.O. Box 27422
Denver, Colorado 80227